A. Telier

l'imagier de la maternelle

Illustrations :
Pascale Collange
Marie-Marthe Collin
Monique Gauriau
Noëlle Le Guillouzic
Danièle Schulthess
Amélie Veaux
Pascale Wirth
et
Kersti Chaplet
Maryse Graticola
Noëlle Herrenschmidt
Sandrine Herrenschmidt

Père Castor
Flammarion

© 1997 - Père Castor Flammarion
Imprimé en France
ISBN 2-08-160895-2

Voici l'imagier de la maternelle à regarder en famille pour aider les tout-petits dès 2 ans à se familiariser avec un monde nouveau, à raconter leurs journées à l'école maternelle.

Les petits prendront grand plaisir à retrouver les objets et les jouets qu'ils connaissent déjà et à les nommer. Puis, à travers des jeux toujours nouveaux, ils découvriront ceux qui leur sont encore inconnus et étendront ainsi progressivement leurs connaissances, des objets les plus courants aux instruments les plus spécifiques.

Tout d'abord, ils feuilletteront l'imagier à leur guise et s'émerveilleront des découvertes qu'ils y feront. Puis, vous pourrez entreprendre avec eux des promenades à travers les images. Laissez-vous guider par eux, répondez simplement à leurs questions et encouragez-les à s'exprimer librement. Les neuf grandes scènes seront l'occasion de raconter les moments forts d'une journée à l'école maternelle, des activités dans la classe aux jeux dans la cour, de la cantine à la sieste, des jeux de motricité au goûter d'anniversaire. Les quatre planches les aideront à reconnaître et à nommer les formes, les couleurs, les chiffres et les lettres.

POUR JOUER…

Voici quelques jeux parmi beaucoup d'autres ; chacun saura les adapter aux intérêts particuliers de son enfant. En fin de volume, deux listes, l'une alphabétique, l'autre thématique, vous permettront de retrouver plus facilement les choses que vous souhaitez observer et vous aideront à inventer d'autres jeux.

Cherche dans le livre :
• ce qui sert à écrire, à dessiner ou à colorier…
• les instruments de musique…
• ce sur quoi l'on peut grimper, sauter…
• les objets qui roulent ; ce qui est rond, carré…

Invente :
Proposez à l'enfant d'ouvrir le livre au hasard et encouragez-le à inventer une histoire à partir des images qu'il a sous les yeux.

À quoi sert :
Que fait-on avec les perles ? les craies ? la dînette ? les serpentins ? la balance ? le trampoline ?...

Cherche et trouve :
Devant une grande scène, faites nommer à l'enfant les objets représentés et aidez-le à les retrouver ensuite dans les pages précédentes.

DEVINETTES

Ayant ouvert le livre devant l'enfant, décrivez, sans la désigner ni la nommer, une des images qu'il a sous les yeux :
• c'est rond, percé et de plusieurs couleurs ;
• ça roule et l'on s'en sert quand on fait les courses ;
• c'est blanc et l'on peut écrire dessus ;
• ça sert à couper le papier ;
• c'est long, c'est vert et ça se mange.
L'enfant reconnaît l'objet et montre l'image correspondante en la nommant.

Sans montrer la page que vous observez, décrivez une chose que l'enfant retrouvera en feuilletant l'ouvrage :
• c'est rond et l'on saute dessus ;
• c'est en paille et l'on couche sa poupée dedans ;
• c'est rouge et rond, on s'en sert pour se déguiser ;
Bientôt pris au jeu, l'enfant posera à son tour des devinettes.

JEUX DE LECTURE

Le nom et l'article défini imprimés sous chaque image peuvent être l'occasion de nouveaux jeux. L'enfant peut s'amuser à les recopier, à les lire ou à les composer avec des lettres mobiles.

le cartable

le sac à goûter

l'encastrement

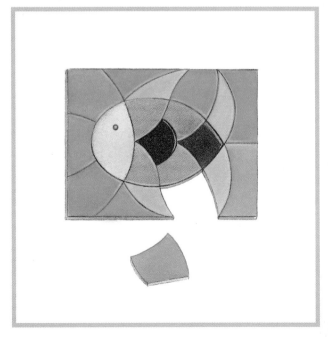

le puzzle

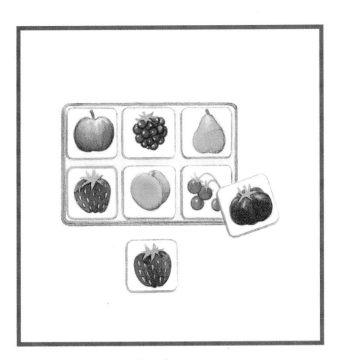

le loto

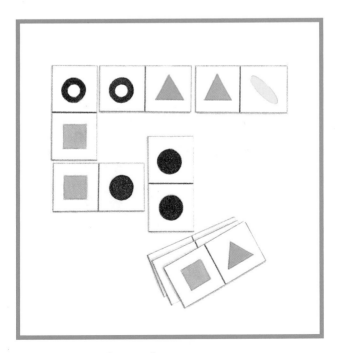

les dominos

les perles

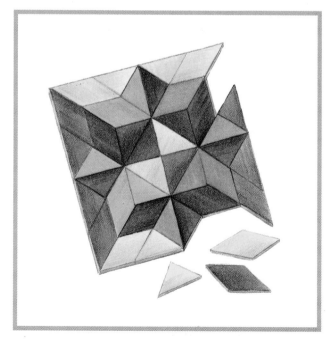

les mosaïques

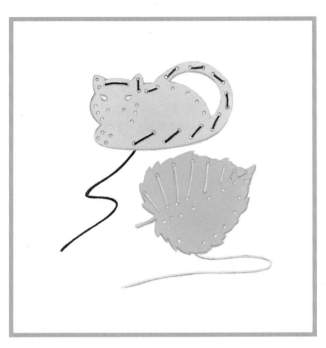

les laçages

les jetons

9

le jeu de construction

les cubes

les briques

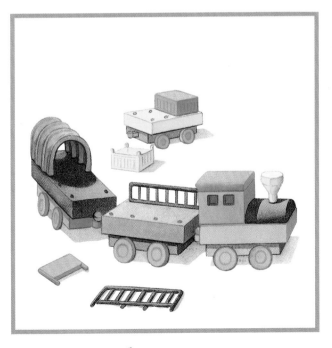

le train

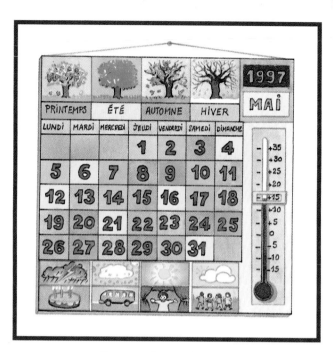

le calendrier

l'horloge

le dessin

le poster

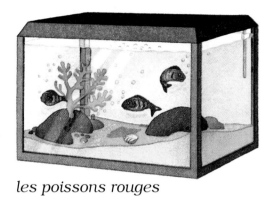

les poissons rouges

l'aquarium

la tortue

le vivarium

le hamster

la cage du hamster

les canaris

la cage

la plante verte

les crocus

la plante à fleurs

l'arrosoir

les anémones

le bouquet de fleurs

dans la classe

le tricycle

la trottinette

le vélo

le chariot

la maison

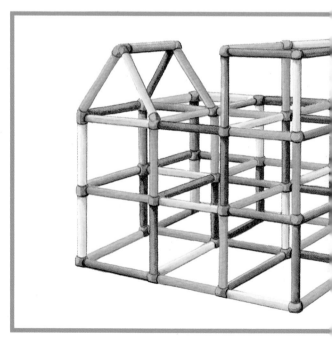

la cage à grimper

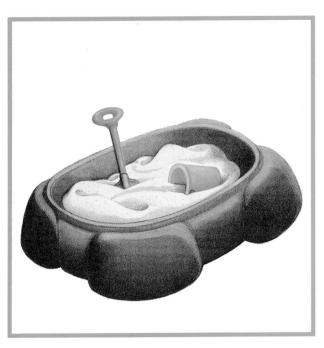

le bac à sable

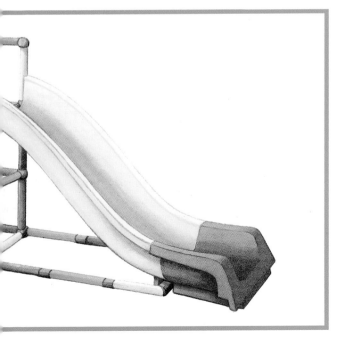

le toboggan

la pelle et le râteau

le seau et les moules

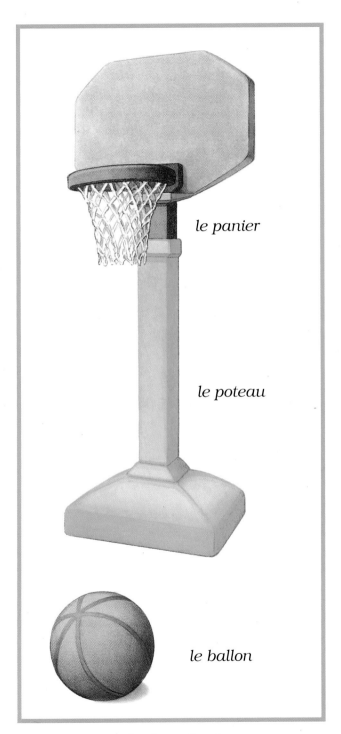

le panier

le poteau

le ballon

le basket

25

les patins à roulettes

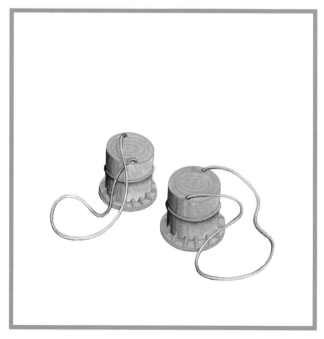

les échasses pots

la brouette

le ballon sauteur

dans la cour

de récréation

la pâte à modeler

les emporte-pièces

les pochoirs

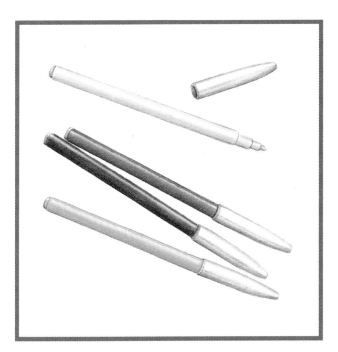

les crayons-feutres

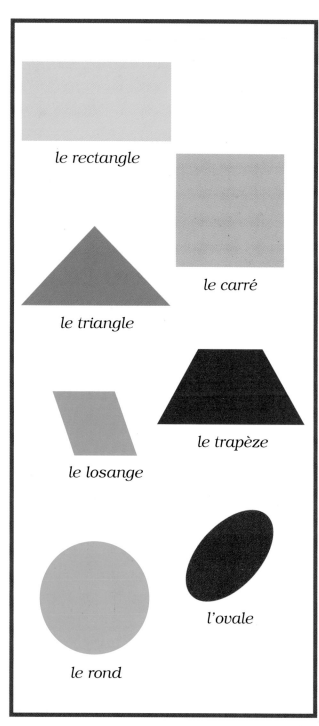

le rectangle

le carré

le triangle

le trapèze

le losange

l'ovale

le rond

les formes

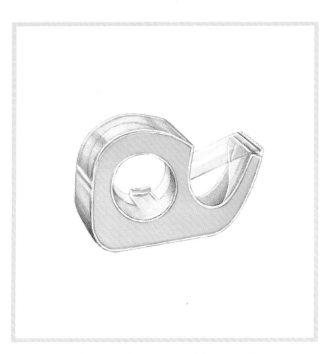

le ruban adhésif

le bâton de colle

33

l'agrafeuse

la règle graduée

les crayons de couleur

le cahier

le crayon à papier

la gomme

le taille-crayon

la trousse

les ciseaux

la ribambelle

les feuilles de papier

les découpages

les craies

l'ardoise

l'éponge

le marqueur

les timbres à imprimer

le tampon encreur

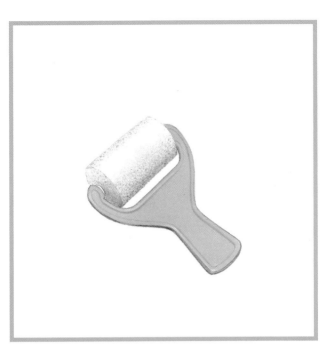

le rouleau à peindre

le gobelet de peinture

la blouse de peinture

le chevalet

le pot de peinture

le pinceau

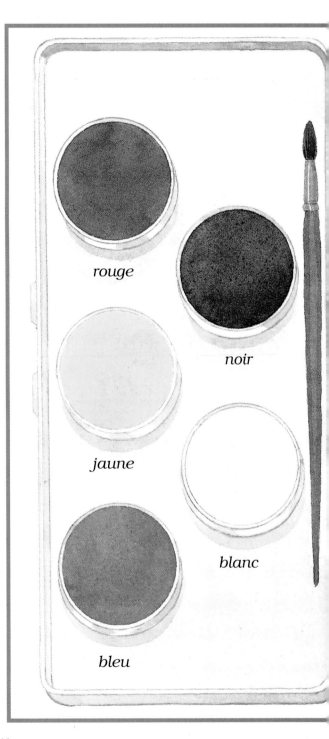

rouge

noir

jaune

blanc

bleu

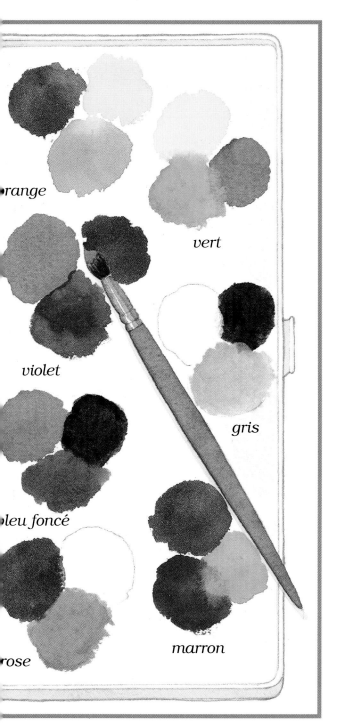

range

vert

violet

gris

leu foncé

rose

marron

les couleurs

47

les travaux manuels

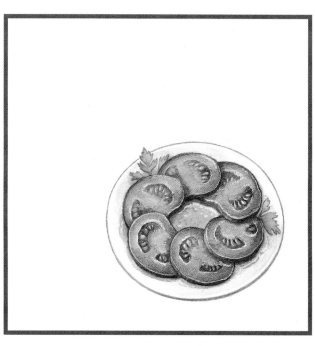

la salade de tomates

les carottes rapées

l'œuf dur et la salade verte

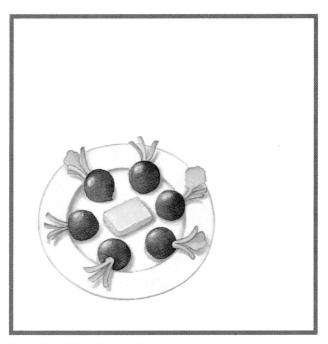

les radis et le beurre

les croquettes de poisson et le riz

52 le steak haché et les haricots verts

le rôti de veau et les petits pois

le poulet et la purée

le gruyère

les fromages à tartiner

le yaourt

le gâteau de riz

la banane

la clémentine

l'orange

la pomme

à la cantine

lundi

menu

59

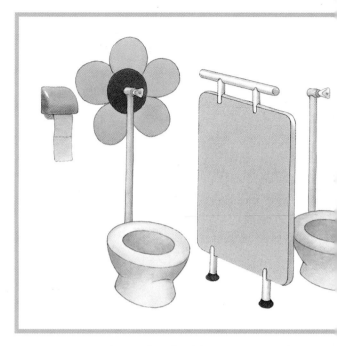

les toilettes

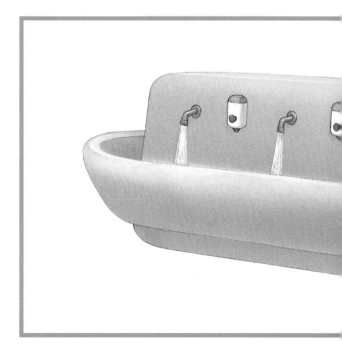

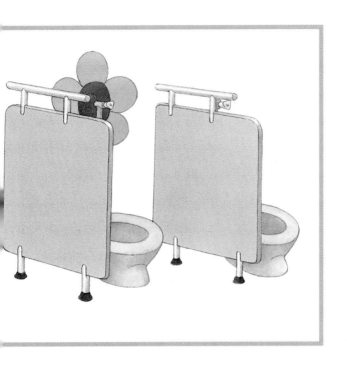

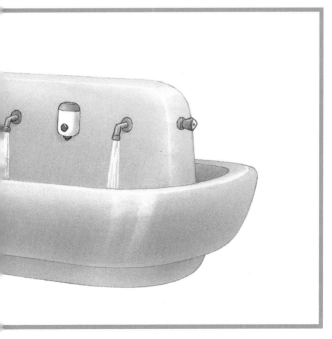

les lavabos

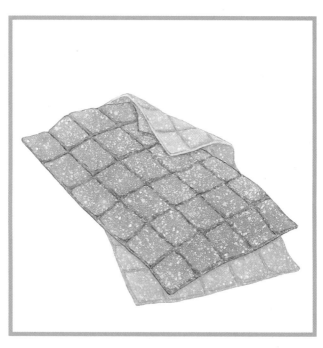

les couvertures

les coussins

les doudous

les matelas

la sieste

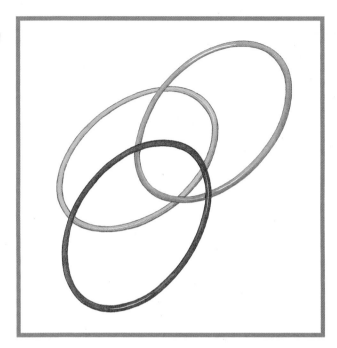

les cerceaux

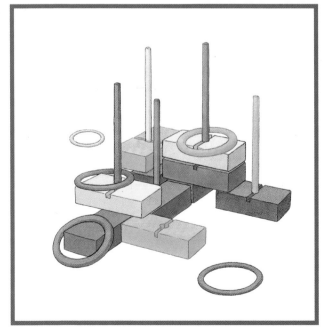

le jeu d'adresse

les anneaux

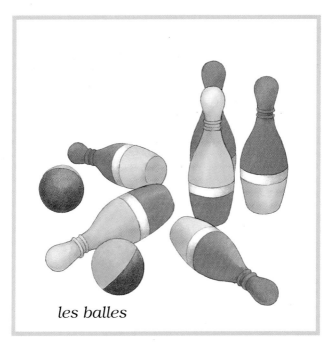

les balles

le jeu de quilles

le trampoline

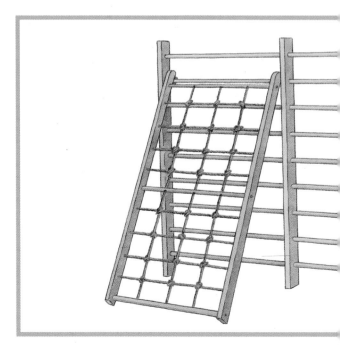

le filet à grimper

le mur d'escalade

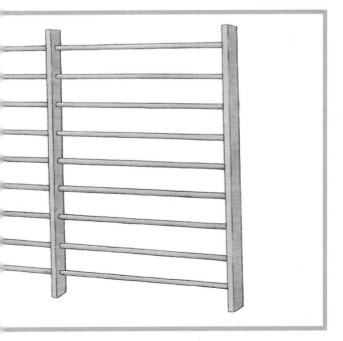

l'espalier

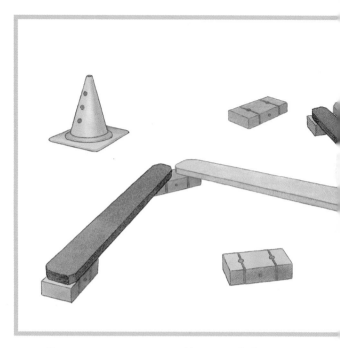

le parcours d'équilibre

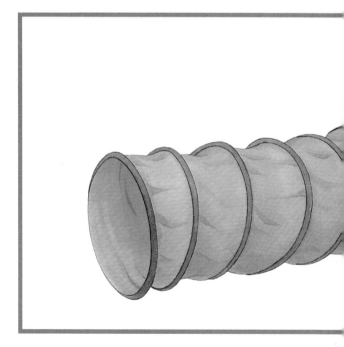

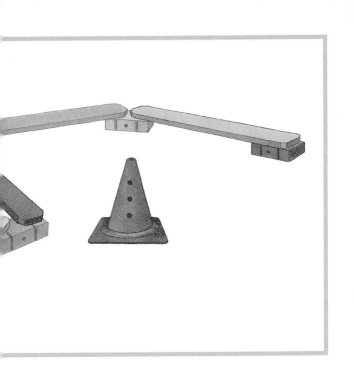

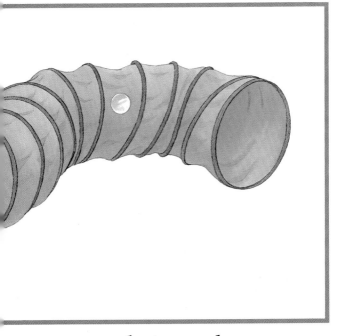

le tunnel

dans la salle

le gymnastique

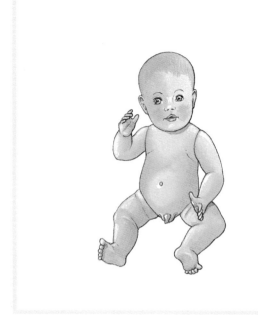

le baigneur

la poupée

le couffin

la poussette

les gobelets

les assiettes

la dînette

la marmite

le faitout

la casserole

la poêle

la batterie de cuisine

la cuillère   *le couteau*
        la fourchette

les couverts

les poids

la balance

le téléphone

les billets   *les pièces de monnaie*

la caisse enregistreuse

le panier

le chariot

la cuisine

l'épicerie

le fer à repasser

la table à repasser

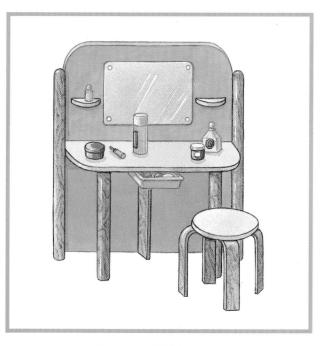

la coiffeuse

la maison de poupée

la ferme

le garage

le château

1 *un*

2 *deux*

5 *cinq*

6 *six*

8 *huit*

les chiffres

3 trois

4 quatre

7 sept

9 neuf

l'abécédaire

l'album

le livre de contes

la bande dessinée

A a B b C c

G g H h I i J j

N n O o P p

U u V v W w

les lettres

de l'alphabet

la lecture

et les jeux

le clavier électronique

la guitare

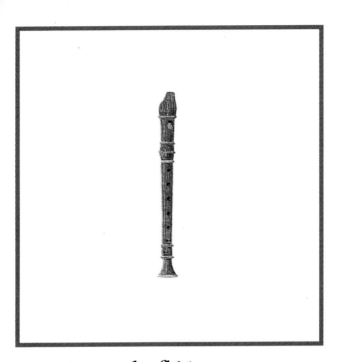

la flûte

l'harmonica

le xylophone

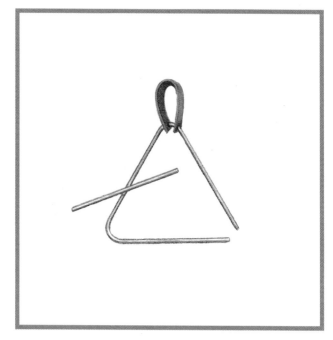

le triangle

le tambourin

les cymbales

les maracas

les castagnettes

la crécelle

les grelots

le théâtre de marionnettes

la marionnette

les marottes

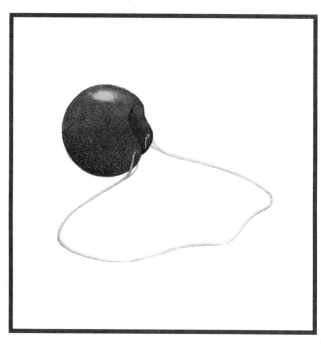

le nez de clown

le masque

les crayons de maquillage

les paillettes

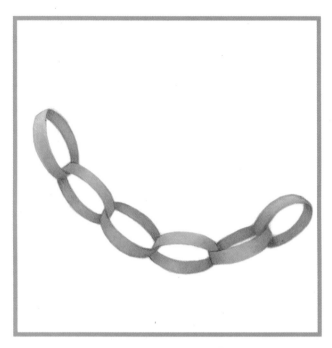

la guirlande

le lampion

le mirliton

le serpentin

la fête

le ballon de baudruche

la couronne

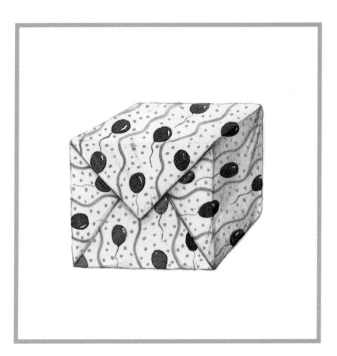

le cadeau

le bolduc

le gâteau

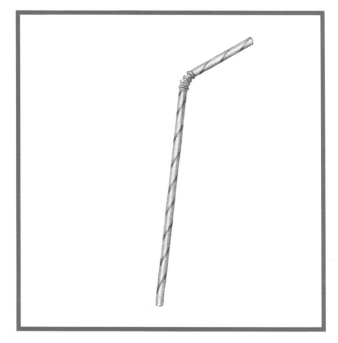

la paille

les bougies

le jus d'orange

les chips

la limonade

les biscuits salés

le sirop de grenadine

les bonbons

les sucettes

les biscuits

le cake

le goûter

d'anniversaire

Liste alphabétique

Liste thématique

La nourriture

Instruments de musique

La gymnastique

Jeux d'extérieur

La lecture

Scènes d'activités

Planches thématiques

Imprimé en France par P.P.O. - 93500 Pantin - N° d'imprimeur : 32130
Flammarion et Cie. éditeur (N°0895) - Dépôt légal mai 1997
Loi n°49-956 du 16 juillet 1949 sur les publications destinées à la jeunesse